ISBN 978-2-211-08846-6

© 2006, l'école des loisirs, Paris
Loi n° 49.956 du 16 juillet 1949 sur les publications destinées à la jeunesse :
septembre 2006
Dépôt légal : mai 2008
Imprimé en France par Aubin Imprimeur à Poitiers

Gerda Muller
Boucles d'Or et les trois ours

Images et texte de l'auteur

l'école des loisirs

11 rue de Sèvres, Paris 6ᵉ

Boucles d'Or habite une maison
pas comme les autres: une maison
sur deux roues, tirée par une voiture.
C'est une caravane.

Ses parents travaillent dans un cirque.
Ce soir, le chapiteau est dressé à l'orée
d'un grand bois.
Bientôt, le spectacle va commencer.

«Je voudrais aller cueillir
les fleurs blanches, là-bas, sous
les arbres, dit Boucles d'Or.
– D'accord, mais tu ne dois pas sortir
de ce petit sentier, répond sa maman.
Comme ça, quand tu voudras rentrer,
tu n'auras qu'à faire demi-tour
et il te conduira à la caravane.
– C'est promis», dit Boucles d'Or.
Et la voilà partie.

Le sentier serpente entre les arbres.
Boucles d'Or commence un joli bouquet.
Un peu plus loin, à l'écart du sentier,
elle aperçoit un magnifique tapis
de fleurs roses et blanches.
Elle y court, toute joyeuse.

Quand elle a un beau bouquet,
elle veut retourner à la caravane,
mais elle ne voit plus le petit sentier.
Elle le cherche longtemps, longtemps,
à travers le bois,
mais ne le retrouve pas.
Elle est très fatiguée et se met
à pleurer…
quand soudain une petite clairière
s'ouvre devant elle.
Et dans cette clairière,
elle voit…

… une drôle de maison,
avec une cheminée qui fume.
« Qui peut bien habiter là ? »
se demande Boucles d'Or.
Vite ! Elle sèche ses larmes
et s'approche de la drôle de maison.
En regardant à l'intérieur
par une petite fenêtre,
elle voit…

11

… une grande table, avec,
tout autour, trois chaises:
une grande chaise,
une moyenne chaise
et une toute petite chaise.
Et devant chaque chaise,
un bol de soupe.

Un grand bol devant
la grande chaise,
un moyen bol devant
la moyenne chaise
et un tout petit bol devant
la toute petite chaise.

Boucles d'Or sent
la bonne odeur de
la soupe.
Elle a très faim. Alors,
elle pousse la lourde porte,
et entre.

Boucles d'Or s'assoit
sur la grande chaise.
Mais la grande chaise est
bien trop large pour elle.

Elle essaie la moyenne chaise.
Mais la moyenne chaise
penche sur le côté :
elle a un pied cassé.

Alors elle s'assoit
sur la toute petite chaise.
« Cette toute petite chaise
est juste bien pour moi »,
se dit Boucles d'Or.

Maintenant, elle veut goûter un
peu de soupe du grand bol.
Mais – aïe, aïe, aïe ! comme
cette soupe est brûlante !

Elle goûte la soupe du moyen bol.
«Oh, non ! Cette soupe est
encore bien trop chaude.»

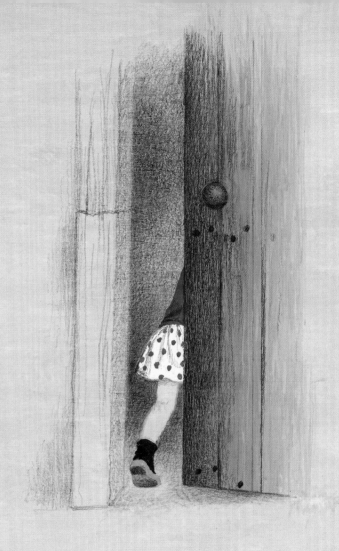

Enfin, elle goûte la soupe du petit bol
«Mmmm ! Cette soupe est délicieuse
et juste bien pour moi», se dit Boucles d'Or.
Elle vide le bol en un clin d'œil.

Puis, elle veut savoir
ce qu'il y a derrière
la porte entrouverte.
Et voici ce qu'elle voit…

Elle voit, l'un à côté de l'autre, trois lits :
un grand lit, un moyen lit
et un tout petit lit.

Boucles d'Or essaie de grimper sur le grand lit.
Mais ce grand lit est bien trop haut pour elle.

Puis elle s'assoit sur le
moyen lit, mais ce moyen lit
est vraiment trop dur.

Alors Boucles d'Or se couche
dans le tout petit lit.
« Ce tout petit lit est juste bien
pour moi », pense-t-elle.
Et elle s'endort bien vite.

Pendant ce temps, les habitants
de la drôle de maison sortent du bois.
Ce sont trois ours :
un grand ours, une moyenne ourse
et un tout petit ours.

Le grand ours entre, va vers sa chaise
et s'écrie de sa grosse voix :
« Quelqu'un s'est assis sur ma grande chaise ! »

Et la maman ourse, d'une
voix irritée, s'écrie :
« Quelqu'un a touché
à ma moyenne chaise ! »

Et le tout petit ours crie
de sa petite voix perçante :
« Quelqu'un a renversé
ma toute petite chaise ! »

Puis, le grand ours regarde son bol
de soupe et dit de sa grosse voix :
« Quelqu'un a touché à ma soupe ! »

La maman ourse regarde sa cuillère
et constate d'une voix fâchée :
« Quelqu'un a voulu manger
ma soupe ! »

Et quand le tout petit ours
regarde dans son petit bol,
il se met à pleurer :
« Ouin, hin, hin !
Quelqu'un a mangé
toute ma soupe ! »

Le grand ours, très mécontent,
dit de sa grosse voix :
«Venez ! Il faut chercher qui
se cache dans notre maison !»

En voyant son lit,
le grand ours grogne
de sa grosse voix :
« Quelqu'un a touché
à mon lit. »

La maman ourse, de plus en plus fâchée, s'énerve :
« Quelqu'un a dérangé mon lit ! »

Et le tout petit ours crie
de sa petite voix perçante :
« Oh, regardez ! Il y a une petite
fille dans mon tout petit lit ! »
Les cris ont réveillé Boucles d'Or.

Elle ouvre les yeux
et voit devant elle les trois ours.
Alors – vite !
Elle sort du petit lit,
ramasse ses sandales,
saute par la fenêtre
et se met à courir…

Les trois ours ne poursuivent
pas Boucles d'Or.
Ils ne sont pas méchants,
seulement très mécontents.
Le gros ours, de sa grosse voix, lui crie :
«Tu ne savais pas
qu'il faut d'abord frapper
quand une porte est fermée ?»
Et la maman ourse ajoute :
«Si personne ne vient t'ouvrir,
il ne faut pas entrer mais
retourner chez toi, petite curieuse !
– Excusez-moi, madame l'ourse,
répond Boucles d'Or. Ça, je ne le
savais pas.»
Puis elle disparaît bien vite
entre les arbres.
De loin, le tout petit ours lui
crie de sa petite voix perçante :
«Tu veux encore un peu de soupe,
petite fille ?»

Mais Boucles d'Or est déjà loin.
Elle court sur le sentier
qui la ramène au cirque,
et tout en courant, elle songe :
« Comme il est gentil, ce petit ours !
J'espère que sa maman
va lui donner un autre bol
de soupe ! »

Le lendemain,
quand Boucles d'Or se réveille,
sa caravane est déjà en route
pour un autre village.
Adieu, Boucles d'Or,
et bon voyage.